Also by Kate Donne:

The Wit and Wisdom of Bobby 'Chicken Legs' Muldoon
(Book 1: The Bobby Muldoon Trilogy)

Bobby 'Chicken Legs' Muldoon

Life and Love in The Gorbals

Kate Donne

Book 2: The Bobby Muldoon Trilogy

Published in 2017
with the help of Lumphanan Press
9 Anderson Terrace, Tarland,
Aberdeenshire, AB34 4YH

www.lumphananpress.co.uk

Printed and bound by Imprint Digital,
Upton Pyne, Devon, UK

ISBN: 978-0-9935971-9-0

For my husband, Steve.
The love of my life.

Acknowledgements

Grateful thanks to the following people:

My daughter, Angela, for your belief in me and your creativity with Bobby's characters.

My Grandson, Ross, and partner Toni. Thank you for your enthusiasm!

My friends, who give me constant positive feedback. You know who you are!

My publisher, Duncan Lockerbie of Lumphanan Press, for your expertise and guidance.

My illustrator, Denise Totten, for really understanding my characters!

My friend and author, Danny Gill, for your enormous help and advice with all my Gorbals questions.

My Gorbals friends, Eddie and Brenda Graham and Alexander Neil. Thank you for all your help with my research.

My editor, Suzanne Ebel, for taking 'Bobby' to the next stage.

My friends in 'The Novel Pool' writing group, for all your valuable feedback sessions.

Contents

1 | Bah Humbug

Robert James Muldoon, fifteen years auld, four feet three, bright red hair an legs like a chicken. That's me. Ah've no gote much goin fur me but ah'm a determined wee shite. Despite the disasters ah hud last year ah'm no gonnae let thum get me doon. It's comin up tae Christmas an New Year an when the bells go fur 1969, everythin's gonnae change. Ah've gote a plan that'll fix aw ma problems an let me make somethin o masell. Ah'm callin it ma 'four bit action plan'. Aye, 1968 is goin doon the Swanee at the bells an ah'll be glad tae see the back o it cos it wis shite. Ah left ma school in the Gorbals, Glesga, efter a six month battle wi ma maw. She said ah hud tae stay oan till ah wis sixteen an be a jyner like ma faither but ah wis determined tae leave an be a plumber. It wisnae easy cos ma maw's a right bruiser an yer takin yer life in yer haunds if ye argue wi er. Ah tricked er intae agreein ah could leave. Ah wrote ma ain report card. Ah made oot ah wis aw ma teachers an ah wrote really bad comments aboot masell. It worked an Maw said ah'd been wastin ma time an if ah wis that bad ah'd be jist as well leavin an gettin a joab.

Ma faither's best pal Archie gote me in wi a builder, Ronnie McManus, but that fell through cos he wis a right crook an finished up in Barlinnie. So, there ah wis, nae joab an miserable when ma granny Pat pit the tin lid oan it. She telt Maw that er faither, Harry, wisnae really er faither. Maw loast the heid, wrecked the livin room an disappeared intae er bedroom fur a fortnight. Then she took this sad disease thing that made er no want tae speak. She finished up in the hospital fur mad folk an she husnae come oot yet. Noo, it's jist ma faither an me oan the tenth flair o a Gorbals highrise, tryin tae haud it aw thegither. No easy. Wi aw that crap ah wis feelin like a right failure but ah'm gonnae get it sortit.

Faither an me ur miserable withoot Maw. Ah nivver thought ah'd say that cos she's a right nag wi er obsession fur cleanin an tidyin but ah'd raither huv that than this misery.

Tae make it worse, Maw's three sisters, Avril, Madge an May huv been comin tae the hoose since Maw gote ill. They think thur helpin but thur no welcome cos Faither an me ur managin jist fine. It's aw the nebbin in, an arguin, an tellin us whit tae dae an that... gets ye doon... then, when they start talkin aboot Maw's illness, the three o thum finish up greetin. It's no helpful.

Oan Christmas Eve they announced they wur gonnae spend Christmas day in oor hoose an bring us oor dinner but Faither made it clear he wisnae huvin it. Ah think he mibbe went a bit too far though. He said we wur fine, that he'd already bought a wee turkey wi Maws divi stamps an he wantit it tae be jist him an me. They tried tae insist but Faither dug ees heels in an said he didnae want thum blubberin aw ower the Christmas puddin.

Then he telt thum, in a nice way, tae fuck off. They wirnae happy an went away in the huff.

Christmas day came an went. Thur wisnae much *happy* an bugger aw *merry*. Faither tried ees best tae make the day nice fur us though. We cooked the dinner an set a place at the table fur Maw. Then we wished the chair a Merry Christmas. Ah bit stupit but it made us feel better. We hud a couple o crackers left fae last year but when we banged the first yin Faither wis that much oan edge wi everythin that he near fell aff ees chair so we didnae pull the ither yin. Efter dinner Faither went tae see Maw. Ah've been pesterin um tae let me visit er but he says that Woodilee is a mental hospital an it's no a place fur wee laddies. Faither's usually right so ah stayed put an watched the Kelvin Hall Circus oan the telly. Ah hud turkey pieces an a wee bit trifle. Sad.

When he gote back, Faither seemed tae be a bit mair cheery. The doctor hud said that Maw wis lookin better an they wur gonnae persuade er tae come oot fae under the blankets. Ah kin jist picture whit'll happen when they suggest it. Maw disnae like gettin telt whit tae dae. She'll jist tell thum aw tae bugger aff an leave er in peace. Despite er bein a pain in the arse maist o the time, she's ma maw an she should be here, wi me an Faither, no in a ward in a loonie bin. It's depressin.

Oan Boxin Day the three stooges appeared back wi thur left ower turkey an a box o hauf eaten chocolates. Some folk cannae take a hint. They wirnae in ten minutes when they startit thur cairry oan again. This time they wur arguin aboot the ironin. Noo, tae me, three shirts an a hanky are no a big deal but they finished up huvin a tug o war wi the washin basket. Bloody stupit.

Then they decidit the kitchenette wis needin gutted. Oan went the aprons an up went the sleeves, aw ready fur action. It wis a joke. Ma three aunties ur dead fat an the kitchenette's jist wee so, wi aw the pushin an shovin an trippin ower each ither, it wis like the first day o a Woolworth's sale. An the racket... aw shoutin an bawlin an bossin each ither aboot.

Ah go intae the kitchenette. Aw fuck. Maw's no gonnae be pleased when she gets hame. She hud aw er stuff in order an noo everythin's in a different place. Thur nosey gits, in an oot the cupboards, chingin everythin aboot. They couldnae believe that Maw hud pit labels oan aw er food boxes. When she did it ah thought it wis stupit tae but ye dinnae question ma maw. Ma Auntie Madge wis the first tae open er gob.

'Wid ye look at this Avril. She's gote er Tupperwares aw labelled.'

Auntie Avril's blind as a bat so she hud tae pit er heid right in the cupboard tae see the writin.

'Whit's she done that fur? It's stupit cos thur clear plastic an ye kin see the stuff through thum.'

'Exactly' says Auntie Madge. 'Look... how could ye mistake white rice fur red lentils?'

'Aye, how could ye' says Auntie Avril, 'thur two completely different colours.'

Auntie May pits er tuppence worth in. She's the sarcastic wan.

'Well... how clivver ur you Avril. Well done fur workin that wan oot.'

The comment disnae hit hame. That's mibbe cos ma auntie Avril's no jist hauf blind... she's thick as shit in the neck o a bottle an aw. Auntie Madge is no lettin it drop though. The bit's between er teeth an she's determined tae solve the mystery. When ah suggestit it wid be a guid title fur a film... *The Mystery o the Labelled Tupperwares...* ah jist gote ordered oot an telt no tae be funny. They didnae leave it there though.

'Thur aw in alphabetical order tae.' says Auntie Madge. 'See... Almonds... Bisto... Coffee... Drinkin Chocolate... that's sad. Ah mean, whit wid ye dae that fur ah wonder?'

They spent anither ten minutes arguin, tryin tae work it oot an, in the end, nane o thum hud a Scooby. Whit a waste o energy.

Boxin Day's meant tae be wan o they days where ye lie aboot an stuff yersell wi chocolate an watch the telly. Oors wis gettin mair miserable by the minute so Faither stepped in. Ah think the strain o Maw's illness is gettin tae um cos he disnae usually insult folk. He loast it wi the three o thum an telt thum tae keep thur noses oot the cupboards an if they wurnae happy sittin relaxin then they should jist bugger aff. Of course, they took offence at that an they aw stormed oot in anither huff, bangin the door near aff its hinges. Faither an me stood at the windae watchin thur fat arses wobblin doon the street. Soon as they were roond the corner we locked the door, switched oan the telly an opened the Milk Tray. Peace at last.

2 | Auld Lang Syne

We've been waitin fur news o Maw gettin oot the hospital but anither five days huv passed, it's Hogmanay, an she's still in. She's hud a setback an she's refusin tae eat or speak tae onybody. Faither's goin in themorra an he says ees gonnae ask the doctor whit's happenin. Ee's lookin aw pale an worried an ah hate seein um like this. Ah'll huv tae try an get um oot the hoose. It's Hogmanay an naebody stays in thur ain hoose oan Hogmanay.

It's a weird night though. It's supposed tae be wan where yer happy an excitit aboot a new year comin in. Tae me it's a night when everybody finishes up pissed an miserable. Thur either greetin aboot thur deid relatives or fightin wi thur livin wans. Ah'll nivver understaund it. At midnight everybody's huggin an kissin an sayin Happy New Year an then by three in the mornin thur punchin lumps oot each other. Ah'd like tae bet that aw the deid folk up there ur huvin a big party, gettin pissed an lookin doon, laughin at aw the miserable faces. Till midnight comes though, the neebors ootside seem tae be happy. It's been snowin dead heavy an it's baltic. It's only hauf nine but thur aw oot in the street. We live oan the tenth floor o a highrise so it's a guid view fae the balcony. Ah watch thum staggerin aff the icy pavements, legless wi drink, singin an shoutin tae wan anither. They've aw gote wee message bags, fu o bottles an thur cairryin bits o coal, aw ready tae first foot thur pals at the bells. Coal brings ye luck. Nae use bringin us a wee bit. Wi oor situation the noo, Faither an me wid need the coal lorry, fu tae the brim.

The place is buzzin. The windaes ur aw lit up an folk ur hoochin an choochin roond thur livin rooms. The silence in here is daein ma heid in. Faither disnae want the telly oan. He says he disnae want tae hear the bells cos thur's nothin tae celebrate when Maw's lyin in a hospital bed. Ees sittin at the kitchen table makin er a wee wooden jewellery box as a surprise. Ah try tae get um oot the doldrums.

'Faither, will we go an see Archie an wish um a happy new year?'

Ee's no fur it.

'Naw son… ah'm no in the mood. You go though?'

Ah try tae persuade um.

'But we could jist go fur a wee while an huv a drink wi um. We widnae be long?'

'Naw. Ah'm fine here Bobby. You go an tell um happy new year fae me eh? Ye kin take a few beers oot the sideboard fur um if ye like?'

Ah dinnae like tae leave Faither but ah cannae sit in this morgue so ah nip tae see Archie masell. He's ma faither's best mate an he lives in the highrise nixt tae oors. Ah've ayeways gote oan well wi um an ees guid at advice when ah'm needin some.

It's like an ice rink ootside an ah slide ma way ower tae ees flat, dodgin the drunks. When he opens the door ah hardly recognise um. Last time ah wis here he hud long grey hair wi a ponytail doon tae ees waist but ees hud it cut tae ees shooders. He says he fancied a different look fur the new year comin in. Ah like it. Ees glad tae see me an ah gie um the beers.

Archie's flat is braw. It's aye warm an cosy an ah like aw the stuff ees gote lyin aboot. Thur's loads o ornaments fae different countries. He brought thum back wi um when he came oot the Navy an thur's a story that goes wi every wan. Thur's wee Japanese vases, an Indian head dress an a big stuffed kangaroo fae Australia. He's gote loads o pictures o the navy pals he hud an aw the ships he worked oan tae. It's like a wee charity shop. Ah like visitin um. Oor hoose is dead miserable the noo so it's guid tae talk an huv a laugh. Archie brings oot ees bottle an pours us baith a whisky. He likes ees bevvie an ah think ees already hud a few cos ees face is shinin like a Belisha beacon an ees eyes ur aw glassy. Ah nivver yased tae like drink cos wan time Archie geid me beer an ah gote dead sick. Ah'm allergic tae it. The whisky tastes awright though so ah drink it doon. It makes me feel aw warm in ma belly. Archie raises ees glass.

'Let's toast yer maw, Bobby. Tae Ena... hope ye get better soon. An a toast tae yer faither tae. Tae Alec... lang may yer lum reek. Cheers.'

We clink oor glasses thegither an huv a guid blether aboot ma maw bein ill an that. Ah tell um ah'm miserable but Archie disnae like it if ye get negative aboot stuff so he tries tae cheer me up an says that ees sure everythin's gonnae work oot an Maw'll be hame soon. Ah'm feelin dead comfy so ah decide tae tell um aboot losin ma joab. Ah've no telt a soul afore but ah think the whisky hus loosened ma tongue.

'Archie, kin ah tell ye a secret?'

'Course. Ye kin trust me, Bobby. Dinnae tell me ye've gote a lassie up the duff?'

'Naw, it's no that, Archie.'

'Whit is it then?'

'Well, mind you gote me the joab wi Ronnie McManus?'

'Aye. Ah heard ye loast it. Ah'm awfi sorry son.'

'It's awright but if ah tell ye somethin, will ye promise no tae say onythin?'

'Scouts honour.'

'Well, jist afore Christmas, him an ees missus tried tae set me up as a drugs runner.' He looks dead shocked.

'Fur fuck's sake, Bobby. Whit happened?'

'They telt me they wur helpin the less fortunate, gein thum free Christmas cakes. They asked me tae help deliver thum tae aw the hooses. Sheila McManus took me in er car. Ah hudnae a clue they wir loaded wi drugs. Ah wis deliverin wan when ah heard the polis bell. She jist drove away an left me. Ah ran fur ma life an managed tae scarper afore they gote there.'

'Jesus Christ, Bobby. Ah knew they wur banged up in Barlinnie but ah hud nae idea you wur part o it. Thur a couple o bastards. If ah hud known ah widnae huv gote ye the joab…'

'It's no your fault Archie. Ah'm jist sick wi worry that they're gonnae tell oan me. Ah'm no sleepin. Ah lie awake aw night, waitin fur a knock oan the door.'

'Aw, dinnae be daft. It aw happened weeks ago. Yer worryin ower nuthin son.'

Ah feel dead relieved. Ah'm sure Archie's right. Too much time hus passed fur thum tae say onythin. Ah'm feelin better noo ah've telt somebody. Archie pours me anither whisky.

'C'mon, Bobby. It's nearly 1969. Forget McManus. This'll be a guid year fur us son. Whit's yer new year resolution?'

'Ah need tae get masell a girlfriend, Archie. Everybody else hus gote wan except me.'

'So whit's stoppin ye, wee man?'

'Well, ah'm no exactly sure. Ah hud wan at the school. Fur a week. Then she chucked me an ah huvnae gote ower it. Ah thought it wis ma carrot heid an chicken legs but it wisnae. A big blonde laddie called Gordie stole er aff me. Bastard. Ma confidence went doon the lavvie pan.'

'Aw c'mon, Bobby. Thur's hunners o lassies oot there. Thur's wan jist waitin fur ye.'

'Ah hope so, Archie. Ah've made a plan tae get wan this year. Ah've been learnin some chat up lines but ah'm no sure if they'll work?'

'Well, mibbe ah kin help ye there. Ah've probably yased every chat up line in the book in ma time.'

He tells me that when he wis in the navy he hud a lassie in every port. That means ees dead experienced wi this. Could be guid.

'Right' he says, 'Go fur it, Bobby. Try thum oan me an ah'll tell ye whit the lassies ur likely tae say back tae ye.'

'Ok Archie. That'll be guid. Ah've wrote thum doon. Ah gote thum aff the telly. The *Francie an Josie* show? Archie's eyes light up.

'Aw, they pair ur hysterical. Ah luv that programme.'

Ah get the bit o paper oot ma pocket.

'Right, Archie. Ur ye ready?'

'Go fur it.'

'Ma first wan is… *Dae ye want tae go halfers oan a baby?*'

Archie looks at me an screws up ees face.

'Whit? Ur ye kiddin? That'll get ye a slap roond the chops fur a start.'

Ah'm crushed but ah try again.

'Right. Well, how aboot this wan then... *That frock wid look guid oan ma bedroom flair.*'

'Aw c'mon, Bobby. That's shite an aw.

Ma confidence is shot tae bits noo. Ah thought they wur quite guid tae. Last try.

'Ah've gote wan mair... *Here's a shillin hen. Phone yer maw an tell er ye'll no be hame the night.*'

Archie's no impressed wan bit.

'Ah think ye should gie this up Bobby. Yer rubbish at it.' He starts sniggerin.

'Aw Archie, it's no funny. How am ah gonnae get a lassie if ah cannae even dae the chat up bit.'

'Look... Lassies like a laugh, right?'

'Right.'

'So ye huv tae be a bit o a comedian, Bobby. Jist tell thum some guid jokes.'

'Aw, this is hopeless Archie. Ah'm no a comedian. Ah cannae tell jokes.'

'Ah'll gie ye some o mine. Try this wan... a lassie phones er faither an says '*Kin ye come fur me Da, ah've missed the last bus an it's pissin wi rain.*'

He asks er where she's ringin fae an she says... '*Fae the tap o ma heid right doon tae ma knickers.*'

Ah roll aboot laughin. Archie's brilliant at tellin jokes.

'Or ye kin try this wan... *Ma pal's ears ur huge. He looks like a taxi wi the doors open.*'

Wur creasin oorsels. He's oan a roll noo.

'This is ma favourite... A man says tae ees ugly pal... *Whit ur ye gonnae dae fur a face when King Kong wants ees arsehole back?*'

That finishes me. Ah'm oan the flair an ah'm laughin that hard ma belly's achin. Ah've been dead miserable lately so it feels guid. Archie hus that way aboot um. Ee's a happy geezer an it rubs aff. He helps me practice the jokes an we're huvin ah right laugh when, oot the blue, he drops a clanger oan me.

'By the way Bobby, yer invitit tae a weddin.'

'A weddin? That's guid Archie. Ah could dae wi a bash tae cheer me up. Whose weddin is it?'

'Mine.'

Ah cannae believe ma ears.

'Yours? Ah didnae think ye hud a wumman Archie?'

'Aye. It's been aff an oan fur years an ah finally decidit ah should settle doon. She'll be here in a wee while.'

He tells me that when he came oot the Navy he hud a stall at the Barras sellin spare parts fur washin machines. She worked oan the hot food van an he gote dead fat eatin hunners o bacon sannies while he plucked up the courage tae ask er oot. Er name's Betty an she's ten years younger than um. She's a singer in The Crown pub an, accordin tae Archie, she's dead braw lookin. Ah'm happy fur um. Cannae wait fur the weddin. Thur gonnae huv Betty's band an loads o food an drink. It's a bit away yet, in April, but it's somethin tae look forward tae. Mibbe ah'll huv a girlfriend by then an ah kin ask er tae come wi me. Ah suppose Maw an Faither'll be there an aw, that is if Maw's well again.

Ah dinnae want tae cramp Archie's style so ah decide tae leave afore Betty arrives. Ah've hud a great night an ah'm feelin dead happy but it disnae last long. Oan ma way oot ah stoap deid in ma tracks. Archie's kitchen door is hauf open an oan ees table ah kin see a box. A cake box... tied wi ribbon an holly. It's the same as the box ah wis deliverin cakes in fur McManus. Boxes o Christmas cakes fu o drugs. Naw... this cannae be right... Archie widnae be involved wi... Ah turn tae face Archie an ah kin see by the look oan ees face that ah'm right... Ah'm gutted.

He's the only real pal ah've ever hud an ees a drug dealer... or an addict... or baith? Archie kin see ah'm no happy. He shuts the kitchen door an asks me tae come back intae the livin room. Ah cannae think straight an ma legs ur wobblin like a jelly.

'Bobby... ah need tae explain somethin tae ye son. Sit doon a minute.'

Ah sit oan the edge o the chair but ah'm that disappointit ah cannae look um in the eye.

'Bobby... you an me huv been pals fur a while noo eh?' Ma voice is aw shaky when ah speak.

'Aye Archie. We huv.'

'Well... ah've hud a colourful past Bobby. Ah gote intae a bit o bother last year. Ah wis gamblin a lot an ah finished up owin a load o money tae wan o the biggest gangsters in Glesga. Ah couldnae pay um back so he startit threatenin me wi aw sorts o stuff. Stuff that didnae bear thinkin aboot. Ronnie McManus bailed me oot... paid the bastard aff... an saved ma life. Only trouble wis... he expectit somethin in return... he startit puttin pressure oan me tae carry drugs fur um. Jist the same as he did tae you Bobby. Noo, when ah gote ye the joab wi um ah didnae expect um tae get you involved. Ye huv tae believe that. Wan night in the pub, jist afore Christmas he telt me that you hud agreed tae deliver cakes fur um. Ah wis beside masell. Ah knew ye wid be in big trouble if ye were caught so ah followed ye that night. Ah drove behind Sheila McManus's car aw the way roond Easterhoose an when she parked up at the last hoose ah called the polis an telt thum whit she an McManus wur up tae. Then, ma plan wis tae pick ye up in the car, but ye ran that fast ah loast sight o ye. Ah'm really sorry Bobby. Ah really mean that.'

Ah'm feelin aw light heided wi the whisky an ah cannae think straight so ah jist tell Archie ah huv tae get hame. He tries tae stoap me.

'Aw Bobby... dinnae leave yet. Ah kin see yer upset. Let's huv anither drink an talk aboot this. We've been great pals, you an me. Ah dinnae want tae start the new year no speakin?'

Ah couldnae get ma heid roond it. Then, oan ma way hame ah thought aboot it. He wis jist tryin tae help me oot. Ah believe um that he wis worried aboot me an didnae want me tae get lifted.

Ah think ah'll keep aw this tae masell cos ah want tae stay pals wi Archie. He's the only pal ah've gote. He tried tae fix it an ah need tae forget McManus. Ah'll go back themorra an see Archie an tell um it's awright.

Ah wis worried that ma faither wid be oan ees ain at the bells but ah neednae huv rushed hame cos when ah get in ees in ees bed. The wee jewellery box is finished an it's sittin oan the mantlepiece. Ah turn oan the telly but ah keep it dead low so ah dinnae wake um up. *The White Heather Club*'s oan an Andy Stewart's swingin ees kilt an singin *Donald Where's Yer Troosers*. Then, at a minute tae twelve, they aw go quiet tae wait fur the bells. Five... four... three... two... one... Oan the first strike everybody goes daft, jumpin aboot, kissin an huggin each ither an shoutin *Happy New Year*. Then they staund in a circle an join up thur haunds tae sing *Auld Lang Syne*.

Should auld acquaintance be forgot... and never brought tae mind...

Noo ah understaund the reason fur the misery at the bells. Ah wis feelin dead happy till ah heard that fuckin song. It makes everybody greet. Ah start an ah cannae stoap. Ah'm sobbin like a wee wean. It must be the Archie thing... or the whisky... Naw, it's no aw that... It's cos ah miss ma maw an ah want er tae come hame.

3 | Action Man

It's the ninth o January an ah'm awfi glad the new year's in. Time tae pit ma four bit plan intae action. Gettin Maw well wis the first bit but that's no gonnae happen cos Faither says she's tae be in the hospital fur a long time. Yisterday he came back dead upset cos the nurse telt um thur gonnae pit some electric thing oan er heid an gie it a shock tae make er happy again. The thought o that geid me nightmares. Ah decide that if ah kin find Maw's real faither then they kin forget that stupit idea. Ah think back tae the day she gote ill an worked oot that it's aw aboot er faither. Naw, it's aboot er no huvin wan. Fur years she thought Harry wis er faither then ma granny Pat said he wisnae. She came fur wan o er visits an we wur sittin eatin mince an tatties when she jist blurted it oot tae Maw. She said *Harry's no yer faither. He wis workin away an ah went wi ees pal. That's where you came fae.* Aw hell broke loose, Maw loast the heid, wrecked the place an didnae come oot er room fur days. Faither brought the doctor in an he said she hud depression an that's when they took er away. So… ma plan is tae find er faither. That's the answer. It's no gonnae be easy though. Ah'll need tae speak tae ma granny. She's a wicked big bugger an ah'm no lookin forward tae seein er but ah'm no lettin er aff wi it either so ah'm gonnae go an see er this efternoon.

Granny lives in the auld tenements in Govanhill so it's no far oan the bus. The closer ah get the mair uptight ah get. Ah'm expectin an argument. When ah wis wee we went there a lot but then Maw an Granny startit arguin aw the time an we stoapped goin. Ah get tae the hoose an chap the door. Nae answer. Ah chap again but still nuthin. Then ah see wan o er neebors pittin er rubbish oot. Ah ask er if she's seen ma granny.

'Ah'm lookin fur ma granny Pat? Ye huvnae seen er huv ye?'

The neebor seems quite nice.

'Aw, you must be Bobby?'

'Aye.'

'Well, ah wis gonnae try an see yer maw aboot Pat. Ah'm worried aboot er. She came hame fae the shops yisterday mornin an ah huvnae seen er since. We go tae the highland dancin class oan a Wednesday night but when ah chapped the door thur wis nae answer?'

Ah huv a vision o Granny daein an *Eightsome Reel* an it's no a pleasant wan. Ah try the door but it's locked.

'Ah'll see if thur's a windae open at the back. Mibbe ah kin climb in.'

'Good idea son. Ah'm away in tae make ma mans tea.'

Well, there ye go then, hen. She could be lyin deid in there. Shows how much you gie a shit.

The neebor goes tae er front door an shouts ower the fence.

'Let me know how ye get oan Bobby. She's a nice auld biddy.'

Is she fuck. She's a nasty piece o work.

Ah go roond the back o the hoose an thur's a windae open. Thur's jist enough room fur me tae squeeze through. Ah get in an huv a wander through the hoose. Whit a tip. Thur's stuff lyin aboot everywhere. Dirty dishes wi hauf eaten food, auld clathes in a pile oan the flair, hunners o auld papers an a piggy bank, smashed tae pieces oan the table. Nixt tae it is a note.

If onybody reads this an wunders where ah am then ye kin bugger aff cos ah'm no tellin ye. Aw ye need tae know is that ah'm away tae find Harry cos ees disappeared. Pat

Fuck. She thinks er man Harry's still livin. Ees ben deid fur years. Whit dae ah dae noo? Ah need tae tell Faither whit's happened. Ah go nixt door an tell the neebor that Granny's done a disappearin act. She disnae look that surprised. Mibbe this is no a first.

Ah get the bus hame an when ah show ma faither the note he jist shakes ees heid. This is aw he needs wi everythin that's goin oan. Faither gets ees coat an we head back oan the bus tae look fur Granny. We walk aw roond Govanhill, up an doon aw the streets but thur's nae sign o er.

'This is useless, Bobby. We better get the polis.'

We head tae the polis station an wur no long in when we see the local bobby comin through the door wi Granny in handcuffs. He's a wee skinny runt an ma granny's dead fat. They remind me o Abbot an Costello. She's wearin the big fur coat that gies me the heebie jeebies. It's like a deid animal. Faither goes ower tae thum.

'This is ma mither in law. Whit's happened?'

The bobby jist laughs.

'Ah found er in the graveyard, helpin ersell tae the floral tributes. When ah tried tae stop er she started hittin me wi a big plastic Jesus. Ah wis forced tae cuff er.'

Granny husnae worn er falsers fur years. She gies the polisman a gumsie smile.

'Yer a braw lookin wee bugger. If ah wis twinty years younger ah wid…'

Faither cuts er aff.

'Right Pat. Let's get ye hame. Ye've caused enough trouble fur wan night.'

The bobby unlocks the cuffs an tells Granny she's lucky no tae be charged wi assault. Faither apologises an we get Granny back tae er hoose. She's dead agitatit an starts pacin aboot the livin room, cursin an swearin.

'Whit did they huv tae poke thur bloody noses in fur onyway? Ah wis jist gettin some flooers fur masell. They should be oot arrestin burglars an no interferin wi auld folk who ur jist tryin tae cheer up thur livin rooms.'

Faither tries tae calm er doon.

'Pat, ye cannae steal the flooers aff the graves. It's disrespectful fur a start an besides, folk pay a lot o money fur thum. Whit ye did wisnae right.'

That makes er even mair agitatit.

'Och, away an bile yer heid Alec. Why wid onyb'dy buy flooers fur deid folk. They cannae smell thum. Waste o money ah say. Thur better in a vase oan ma table.'

Faither disnae argue wi er. Nae point cos she's no listenin.

Granny's ready fur er bed when we leave. She's some sight in a manky, pink dressin goon. She looks like a beached whale an the purple hair net disnae dae much fur er either. We get tae the door an, afore we kin say cheerio, she slams it in oor faces.

So, ah didnae get the chance tae ask er aboot Maw's faither. Ah'll huv tae go back anither time tae find that oot. Efter er cairry oan the night ah'm no sure ah'll get much sense oot er but fur Maw's sake ah huv tae try, an onyway, ah need tae find ma real grandad. Ah'm knackered noo wi aw the drama so ah'll make a plan themorra.

4 | Bobby's Close Encounter

Ma four bit action plan is slowly goin doon the Swanee. Maw's still ill an ah huvnae found er real faither so that's the first two bits buggered. Mibbe the third bit's gonnae be easier. Ah'll need tae get a girlfriend. Ah've heard that if ye go tae the dancin at the Barraland Ballroom thur's dozens o lassies there an thur aw gaggin fur it. No sure whit that means but ah'd like tae find oot. Ah cannae go masell though cos ah've heard the *Cumbie Boys* gang go there an the last thing ah want is tae come face tae face wi that lot. Ah'd finish up wi mair stitches than a balaclava. Naw, ah need tae find a pal tae chum me. Ah'll ask Malkie MacInally. Ah met um when ah wis workin fur McManus. Ees a dustbin lorry driver an he wis ayeways talkin aboot the Barraland. Ees livin jist a few streets away fae me so ah go roond tae ees hoose tae ask um. Ees in when ah get there. He talks fur Scotland.

'How's things, Bobby? Ah huvnae seen ye fur ages. Ah heard

McManus hud ees buildin company shut doon an ye aw loast
yer joabs? Ah couldnae believe it when ah heard he wis a drug
dealer. Ah thought he wis a respectable business sort an he
turned oot tae be a right gangster eh? Hard tae believe. It jist
shows ye Bobby that ye cannae judge a sweetie by it's wrapper.'

Ah jist agree. He disnae huv tae know aboot me bein involved
in it aw. Only Archie knows the real story.

Ah'm no quite sure how tae ask Malkie tae come tae the
dancin wi me. Ah dinnae want um tae get the wrang idea. Ah
jist go fur it.

'Malkie, ah wis wunderin if ye fancied comin wi me tae the
Barraland dancin oan Saturday night. Ah need tae start goin oot
wi lassies an ah dinnae want tae go masell an staund aboot like a
spare prick?'

He seems keen.

'Nae bother Bobby. Come wi me. Ah go every Saturday.
Dean Ford an the Gaylords ur playin this week. Thur a good
group. Ye'll enjoy it an yer sure tae get a lumber cos thur's aye-
ways loads o lassies lookin fur some action.'

'Dae ye think ah'll get in though Malkie. Ah'm no sixteen till
March?'

'Och, dinnae worry aboot that. It'll be mobbed so ye'll no
be noticed. Ah nivver go in the front doors onyway. Ma mate's
a bouncer an he opens a back windae fur me. Ah dinnae pay tae
get in.'

Ah hudnae thought aboot money fur gettin in so that wis a
relief. Faither's strugglin the noo so ah cannae ask um fur any.
Malkie says he'll meet me at the back o the hall oan Saturday, at
seven. Ah go hame happy.

When ah tell ma faither ah'm goin dancin tae the Barraland he
tells me that's where he first met Maw. We sit fur ages talkin an
he tells me aboot aw the bands that played there an whit a great

time they hud. Ah've no been tae a dance afore so ah'm dead nervous. Faither reckons ah'll huv a great time. Efter talkin tae Malkie, ah'm no convinced. He said that when the slow music comes oan ye kin ask a lassie up tae dae a 'moonie'. Ah hudnae heard o that but he telt me it's a slow dance. Ye pit yer airms roond the lassie's waist. She pits her airms roond yer neck an ye baith shuffle aboot the flair, no really goin onywhere, jist movin yer feet, fae side tae side. Then, if ye get a chance, ye kin kiss er. Aw fuck. Ah cannae dae dancin or kissin. Ah'm startin tae panic an it's only Wednesday.

Ah need tae pit in some dancin practice afore Saturday comes. Ah go through ma record collection tae find a slow song. Ah've only gote five so thur's no a lot o choice. Ah find *The Last Waltz* by Engelbert Humperdink an ah spend the nixt two nights in ma bedroom dain loads o moonies wi a cushion till ah get ma feet workin right. There's no much tae it so ah'm feelin confident aboot that bit. Ah jist need tae get the kissin stuff right an that's me sortit.

Ah watch the telly till a film comes oan wi a kissin bit in it an ah sit dead close tae the screen an concentrate. Ah work oot that ye pit yer mooth oan the lassie's mooth an suck it. Then ye move yer mooth fae side tae side an roond an roond. Ah draw a pair o red lips oan the bathroom mirror wi wan o Maw's lipsticks an practise it. Ah'm jist gettin it when ma faither walks in. He jist staunds there, starin at me while ah'm blubberin like an eejit, tryin tae explain. The movin aboot hus spread the lipstick aw ower ma face, up ma nose an doon tae ma chin. When ah tell um ah'm scared o kissin a lassie he jist laughs. He tells me no tae be daft an if it happens oan Saturday, it'll come natural tae me. Ah get masell cleaned up an Faither says we kin go tae C&A an get a new shirt an tie. Ah've gote a poster o The Beatles oan ma bedroom door an thur wearin they skinny leather ties so ah'm gonnae get wan o them. Ah think ah'll look dead smart wi that oan.

It's Friday an aw ma confidence hus drained away tae nuthin. Fair enough, ah think ah kin dae a moonie an ah'll deal wi the kissin bit if it happens but ma worry is… how am ah gonnae get a dance in the first place? Ah've been slagged aff fur years fur ma carrot heid an ma chicken legs, so whit lassie's gonnae want tae be seen dancin wi me? Ah think I might gie this a miss. Naw, that's daft. Ah'll gie it a try.

Saturday comes an Faither helps me tae get ready. Ah've managed tae comb aw ma hair forward tae look like John Lennon an ah've gote the new shirt an the skinny tie oan. Faither sprays me wi some o ees *Auld Spice* smelly stuff an then he gies me a broon paper parcel. Ah open it up an it's wan o they jaikets wi nae collar, jist like aw the pop stars ur wearin oan the telly. Ah'm ower the moon. Faither looks happy that ah'm happy.

'Noo, dinnae get too excitit son cos it's no a new yin. Ah gote it in the second hand shop fur ye. It's cauld ootside an ah thought ye wid need it. Ah hope it fits ye?'

Ah try it oan. It's a wee bit too big fur me but ah dinnae care. Ah look in the mirror an ah'm pleased wi whit ah see. Bobby Muldoon is dressed up tae the nines an ready tae go. Barraland here ah come!

Ah meet Malkie at the back o the Barraland. Right enough thur's a windae wide open leadin intae a store room. We climb in an sneak through tae the ballroom.

Ma eyes pop oot ma heid. Thur's hunners o folk packed ontae the flair an thur dancin like maniacs tae the music. The band is high up oan a stage an the lassies are aw crowded at the front screamin at the tap o thur voices. Hingin fae the roof is this giant, silver globe thing. It's lit up an when it goes roond thur's aw these wee coloured lights floatin aboot the dance flair. Ah like this place. Malkie gets us a beer. Ah dinnae tell um ah'm allergic. Dinnae want um tae think ah'm a wee weed. We huv a look at the lassies. Thur's seats roond the flair an thur aw sittin, jist waitin tae be asked up tae dance. They aw look the same. Mini skirts, white knee length boots an black eye stuff that makes thum look like pandas. Thur aw gigglin an gettin drunk oan cider an Babycham. Fuck. This is scary. Ah need advice. The music's that loud ah huv tae shout.

'Malkie, if ah want tae ask a lassie up fur a dance, whit dae ah say?'

'Jist try an look cool an say... ur ye dancin?'

He sees the terrified look oan ma face.

'Dinnae panic Bobby. Jist gie it a try. Here... ah'll haud yer drink.'

Ah've gote a problem wi sweatin an the thought o this kicks it aff. It's boilin in here tae so, by the time ah walk ower tae the first lassie, ma oxters ur drippin an ma John Lennon hairdo is aw stuck tae ma face. Ah staund nixt tae a lassie's seat an take a deep breath.

'Ur ye dancin?'

She gets up. Fuck. She must be six feet. She looks doon at me, laughs, an shifts tae anither seat. Whit a red neck. The nixt wan ah try is jist as bad.

'Ur ye dancin?'

'Naw, it's jist the way ah'm staundin.' Then she looks at me as if ah wis shit oan er shoe. Bitch. Ah'll try wan mair an, if she disnae get up wi me, ah'm gonnae go home.

'Ur ye dancin?'

'Ur ye askin?'

'Aye, ah'm askin.'

'Then ah'm dancin.'

Third time lucky. Ah'm gettin a dance an ah'm rarin tae go. We get up oan the flair. She's the same height as me so that's a plus. We start divin aboot tae the music. Ah'm no really sure whit ah'm daein but ah jist fling masell aroond a bit. The music gets louder an ah kin hardly hear er so ah huv tae go dead close when she speaks. She smells guid. Then she shouts ower at me.

'Whit's yer name then?'

Ah shout back.

'Robert James Muldoon. Whit's yours?'

'Jeannie.'

'That's a lovely name.' Aw fuck, that sounded dead stupit.

Ah huv a guid look at er while she's dancin. She's no the maist attractive lassie ah've seen the night... kinda auld fashioned lookin, dead skinny, wi a pony tail an glasses. She's no wearin a pile o crap oan er face like the ither lassies. She's no like aw them. She's different an thur's jist somethin aboot er ah really like. Then it dawns oan me. She's happy. She's no stoapped smilin since we gote up tae dance an er smile jist makes me want tae smile tae. She's gote nice teeth. We're huvin a right laugh, dancin like crazy. Then it happens. The dreaded 'moonie'. The group starts playin a slow song an aw the couples ur wrapped roond each ither, shufflin aboot the flair. Jeannie moves in an pits er airms roond ma neck. Ah pit ma airms roond er waist, jist like Malkie telt me. Then she pits er heid oan ma shooder an gets close. Too close. Ah go intae a blind panic cos ah kin feel er diddies pressin against me. Ah cannae stoap shakin but ah'm determined no tae blow it so ah close ma eyes an kid oan ah'm practisin in ma bedroom an she's a cushion. It works. Ah'm gettin the hang o it an ah've nivver felt sae comfy. Ah look aroond an ah spy Malkie dancin wi a stunnin blonde lassie. Fae behind er back he gies me a thumbs up an ah gie um wan back. Withoot warnin, Jeannie lifts er heid aff ma shooder an kisses me, right oan ma mooth. That kiss wis the maist excitin thing that's ever happened tae me. Jist as Faither said, it wis dead natural. She did maist o the mooth movin stuff an ah jist copied er. We finished up sittin at the side o the dance flair, winchin, aw night, till they turned the silver globe aff. Whit a night!

Malkie leaves wi the blonde an me an Jeannie start walkin hame. It's freezin so ah pit ma airm roond er an she snuggles up tae me. We talk aboot loads o things. She tells me she's sixteen an still at the school. She says she's gonnae be a teacher. She must be dead brainy fur that. Then she talks aboot er faimily. She's gote a brother, Tommy, an a sister, Ina. Her maw's a cleaner an er faither works at the shipyard as a welder. Ah tell er aboot ma faimily tae but ah leave oot ma maw's depression an ma mad Granny. Dinnae want tae scare er aff wi aw that stuff. It turns oot she lives in the highrise nixt tae oors, same wan as Archie. We get tae er close an she switches the lights oan.

'Ah better go Bobby. Ma da likes me in afore midnight.'

'Ok. Kin we see each ither again though Jeannie?' Ah'm fu o self confidence noo.

'Ah'd really like that.'

'Dae ye want tae go tae the pictures oan Monday night then?' Ah'm gettin braver by the minute.

'Aw Bobby, ah'm no allowed oot durin the week. Ah huv tae dae ma schoolwork.'

We make a plan fur the nixt Friday an she gies me a kiss. Ah kiss er back.

'Cheerio then, Bobby. Thanks fur a guid night.'

Ah tell er ah've hud a guid night tae an she turns an disappears up the stairs. Ah hear er door shut an ah jist staund there. Ah'm happy, happy, happy. Ah've gote a girlfriend. At last ah've gote a girlfriend. Ah run across tae ma bit an dive up the stairs.

Faither's waitin up fur me an we sit wi a hot chocolate an ah tell um aw aboot Jeannie. Ee's pleased that ah've enjoyed masell. Ah wish he wis feelin as happy as me. We talk fur a bit aboot Maw an ah try tae tell um that everythin's gonnae be awright. He disnae look convinced an he jist says guid night an goes tae ees bed. Ah kin see Jeannie's highrise fae oor balcony an ah staund there fur ages jist lookin oot… an smilin.

Ah think ah'm in love. Naw, ah'm definitely in love. In fact ah think ah wid like Jeannie tae be the mother o ma weans.

Oan a Sunday mornin it's ma joab tae get Faither's *Sunday Post*. The paper shop is in the Cumberland Arcade, right under oor buildin. Thur's a board ootside an it tells ye the news aboot Glesga. The writin oan it stoaps me in ma tracks. It says, *Police Hunt Continues for the Brutal Barrowland Murderer.* Ah get the paper an read it oan ma way back up in the lift. Fuck. It says that a year ago, a lassie called Patricia Docker wis at the Barraland an oan er way hame she wis raped an murdered. They say whoever done it wis stalkin er at the dancin an followed er. Thur still tryin tae catch who done it. Shit. Ah jist hope they find the bastard soon. Ah widnae like tae think they'd be back fur anither lassie. Dinnae fancy sharin the dance flair wi a murderin rapist. Ah'm glad Jeannie wis wi me last night. She could be deid this mornin. Ah cannae bear thinkin aboot that so ah think aboot Faither's Sunday fry up waitin fur me.

Faither goes tae see Maw every Sunday efternoon. The day, when he gote back he says ah've tae go tae the hospital wi um oan Wednesday.

'Bobby, the doctors huv set up a coonsellin session fur yer maw. They want us tae be there tae. They said it'll help er if she hus er faimily roond er.'

'Is that a guid thing then Faither… this coonsellin stuff? Will it make er better?'

'Ah'm no clear how it works son but anythin's worth a try.

We really need tae help er get well again. Let's jist wait an see whit happens oan Wednesday eh?'
  'Aye. Ah'll be glad tae see er.'
  'An she's lookin forward tae seein you tae.'
  'Did she say that?'
  'She did.'

5 | Coonsellin Clap Trap

Woodilee Hospital's fur folk that ur depressed. It's aboot ten miles away, in Lenzie. Faither's been takin the bus every time tae visit Maw but Archie's drivin us there the day. When we turn intae the gates ah cannae stoap shakin. Whit a place. It's a huge, auld buildin wi a tower at the top. Dead miserable lookin. This place surely cannae be helpin folk oot thur depression? It wid make ye depressed jist lookin at it. Archie's cousin lives no far away so he says he'll go an see um an come back later fur us.

The place is even worse inside. It's freezin an thur's big long dark corridors wi hunners o doors. Thur's aw these nurses walkin aboot wi weird lookin folk in dressin goons. Wan man nurse is haudin a scary wumman by the airm, haulin er alang the corridor. When they get tae wan o the doors he opens it an tries tae get the wumman tae go in but she starts screamin an makes a run fur it. Faither stoaps me an we jist watch the pair o thum. The nurse runs efter er, jumps oan er an they baith land on the concrete flair wi a thud. Fuck's sake. Then, fae naewhere, anither three men nurses appear an they lift the wumman up aff er feet, bundle er intae the room an slam the door shut. Ah kin still hear er screamin. This is worse than a horror film. Ma legs ur like jelly noo. Faither asks directions tae room twinty three. It's bare an cauld wi jist four metal chairs in the middle. Faither wis right. This isnae a place fur wee laddies. We sit doon an wait. A nurse brings Maw in an shows er tae a chair. She's lookin well an she gies me a wee smile. Ah want tae go ower an hug er but Maw's nivver been good at that so ah jist sit still. Then the coonsellin wumman comes in wi a big broon folder in er haunds. Maw looks at me an raises er eyes tae the roof. Take it she disnae like er much.

'Well now, Ena. So this is your family. How nice.'

She shakes ma faither's haund an ruffles ma hair. *Anither yin that thinks ah'm ten. Oh tae be six feet wi biceps.* The wumman sits doon beside Maw an introduces ersell tae us. Madeleine Symington-Smith. Whit a name tae be labelled wi. She looks like a right hippy. She's gote a big frock oan, covered in flooers an er woolly stockins ur aw bobbly. Er leather shoes would be guid fur a miner in the pit. Whit a state. She pushes back a great big load o fuzzy hair an starts talkin tae us.

'Right. We'll get started shall we? Mr Muldoon, I wanted you and your son here today to help Ena. To allow her to speak about how she has been feeling and to hopefully aid her recuperation.'

Maw heaves a sigh an leans back in er chair. She's no intae this an she's makin that quite clear.

'Ena, would you like to start by telling us what you think brought you here initially?' Maw gies er a nasty stare.

'That's surely your joab hen, no mine.'

A guid start.

'Yes… I appreciate what you are saying, Ena but I wanted you to tell us in your own words. Talking about it can help you know. It's imperative that you express your innermost thoughts and emotions. That, in turn, helps you to understand your condition that little bit better?'

Maw sighs again.

'Ah huvnae gote a *condition.* Ah keep tellin ye. Ah wis jist fed up an you lot in here decidit ah wis aff ma heid.'

This is no goin well so far. It disnae help that the hippy wumman is spoutin gobbledegook. Faither chips in.

'Ena, kin ye try tae tell us whit yer feelin? It might help ye?'

'Ah'll tell ye exactly how ah'm feelin. Pissed aff. Big time. Ah'm sick o a crowd o numpties in white coats nippin ma brain an talkin shite. Thur's nuthin wrang wi me an aw ah want is tae go hame. There. That's how ah'm feelin. Ur ye aw happy noo?'

The wumman turns tae me. Fuck.

'It's Bobby isn't it?'

Maw interrupts er.

'It's no Bobby. It's Robert James Muldoon. He's only Bobby tae folk he likes.'

Ah think the wumman's losin er patience noo. Ah cannae decide if she's smilin or barin er teeth.

'Fine… Ok… Robert, can I ask you to think back to the day your mother took ill? Can you give me what you think your initial, emotional response was to that upsetting situation?

Ah've gote nae idea whit she's blabberin aboot. Ah cannae answer er.

'Ok… let me put it another way. I understand you are probably suffering from huge abandonment issues but can you tell me what your deepest, innermost reactions were when your mother left you?'

Faither sees ah'm strugglin an answers fur me.

'We wir baith really upset that day.'

The wumman nods er heid.

'Totally understandable, Mr Muldoon.'

Faither's no finished.

'Ah huv tae say that Ena looks a lot better. Ah think she should come hame noo. Ah dinnae think this place is guid fur er. She'll get better quicker if she's at hame.'

The wumman isnae happy.

'I hate to disagree with you Mr Muldoon, and I'm sorry to say this but you are very wrong to think your wife is better. She may look well on the outside but her inner emotional turmoil is still a problem. She hasn't expressed her feelings in all the time she's been here. I need her to admit she is struggling and accept my help and advice. I am very experienced with this type of mental illness and...'

Maw lets rip at er, no even stoppin fur breath.

'Will ye quit talkin aboot me as if ah'm no here.' She turns tae Faither. 'See whit ah mean? There she goes again, sayin that ah'm mental.'

Maw's staundin up noo. This could get oot o haund. The wumman staunds up tae.

'Ena, calm down dear. We are all here to help you.'

Maw's no listenin.

'Let me tell ye somethin, smart arse. Ah'm no needin yer help. Ah've still gote aw ma marbles an ah'm finished wi yer coonsellin clap trap! Ah kin tell whit yer daein. Yer jist dyin fur me tae tell ye that ah hud a traumatic childhood an that ah wis abused an abandoned. Then ye kin call it a *condition*, find a big long name fur it, stick an electric wire tae ma heid an blast me fae here tae Glesga Green. Well, ah'm no huvin it, dae ye hear me? Ah'm jist no huvin it.'

Faither staunds up, goes ower tae Maw an pits ees airm roond er shooders. First time ah've ever seen um dae that. Then he looks straight at the wumman an ees voice is dead calm when he speaks.

'This needs tae stoap noo. Tae be honest ah think Ena should come hame. We kin look efter er there.'

Before ah kin button ma lip ah hear masell rantin at this big flower pot wumman whose tryin tae turn ma Maw intae a lunatic.

'Ma faither's right. Ma maw needs tae come hame wi us. She's jist gote *fedupness* an yer makin oot she's gote somethin wrang wi er heid. Well, Mrs Smithereens, yer wastin yer time. Maw needs tae be at hame wi er Hoover an er knittin. That'll get er better cos that's whit she likes so…'

Mrs Fuzzy Heid is fumin. She looks as if she's gonnae greet.

'Alright. Have it your way but I have to say that I've done my very best with Ena. Unfortunately, it seems to have fallen on deaf ears. She will have to sign herself out of hospital and I need to make it clear it's against my advice. I'll speak to her doctor and let you know what he says. I just hope you know what you're doing.' An wi that she storms oot an slams the door.

The nurse tries tae take Maw away but she refuses tae budge so she tells us tae wait an she'll be back. An hour an a hauf later we're in Archie's car… oan the way hame… wi Maw… an er discharge papers. She rips thum up an flings thum oot the car windae. Then she starts er usual rantin. It's music tae ma ears.

'Ah'm tellin ye, someb'dy needs tae pit a bomb under that place. It's no fit fur an animal. Kin ye drive a bit faster Archie. Ah need tae get hame… an by the way, ah hope the place isnae in a state. If it is, thur's gonnae be trouble.'

Aw ah kin say is… trouble? Bring it oan Maw… an welcome hame.

6 | Jeannie

Efter a few weeks we've settled doon tae how it wis afore Maw's illness. She seems tae be gettin better every day. She's back tae scrubbin, an sterilisin, an shoutin an complainin. Faither jist smiles noo when she starts. Ah'm really happy tae. Ah've been seein a lot o Jeannie. It's been five weeks noo so ah think ah kin say ah've gote a proper girlfriend. Her an me get oan like a hoose oan fire. We go tae the pictures an we sit in the back row an winch aw night. We dinnae huv a clue whit the films ur aboot but we dinnae care. I like this winchin stuff but lately ah've been huvin a problem wi it. Jeannie's wan o they lassies that likes tae get dead close up tae ye an when she does it ah get a lump in ma troosers an ah'm no sure whit tae dae wi it. Last week we went fur a walk in the woods an we wur kissin. Ah think she wis expectin me tae dae mair than that but ah'm clueless so ah didnae know where tae start. Ah need advice but ah've nae idea where ah kin get it. Ah cannae ask ma faither an ah'm too embarrassed tae ask Archie so ah decide tae go tae the library an get a sex book. That'll mibbe gie me some tips. Ah'll need tae make sure the neebors dinnae recognise me so ah'll wear a pair o sunglasses an ma maw's headscarf.

Ah'm lookin fur a special book. Ah mind when ah wis at school a laddie in ma class brought it in an aw the dirty minded wee shites wur gaithered roond lookin at the pictures an laughin like drains. Ah cannae mind the name o it but ah think it wis written by a geezer called Kammi Souter. Onyway, ah'll recognise it when ah see it cos it's got a red cover.

Ah go tae the library an the mousey faced wumman at the desk peers ower er glasses an gies me a funny look. Ah'm prayin she disnae speak tae me. She speaks tae me.

'Can I help you with something?' Fuck.

'Naw. It's ok. Ah'm jist lookin.' Ah walk away but she follows me.

'Are you a member?'

'Naw. No yet. Ah'm gonnae look at aw the books an if ah see wan I like then ah'll join.'

She's no convinced.

'Mmmm? Is there a particular genre you are interested in?'

Ah've hud enough o this nosey bitch. Ah need tae get rid o er.

'Astroid physics'. Ah remember hearin someb'dy say that oan the telly.

She's like a dug wi a bone.

'I think you mean Astrophysics. They are over here in the Astronomy section... just follow me.'

This isnae goin well. Ah walk behind er an when she disappears up an aisle ah dodge er an disappear up anither yin. Then it starts. A game o hide an seek aw roond the bookshelves. She's wanderin aboot whisperin 'Hello? Are you there?' This is stupit. Ah watch er through the spaces oan the shelves. She's confused noo cos she cannae find me so she goes back tae talk tae a lassie at the desk. Great. Noo ah kin search. Ah creep aboot the aisles till ah find the human body bit. Then ah see it. The red book. It's there. Starin me in the face... *The Kamasutra*. Ah grab it, hide it up ma jumper, crouch doon past the desk an dive oot intae the street. Made it. Ah'm excitit. Ah cannae wait tae get hame an huv a look at the pictures. Ah jist hope it comes wi instructions tae or ah'm sunk.

When ah get hame Maw an Faither ur sittin in the livin room. Maw shouts tae me.

'Is that you Bobby?' Ah'm tempted tae shout back 'Naw. Ah'm a burglar' but ah dinnae think that wid go doon too well.

'Aye, it's me. Ah'm jist goin tae the lavvie Maw.'

'Right. Well, make sure ye wipe the seat efter ye.' She's no chinged a bit since she came hame fae hospital. Ah lock masell in the lavvie an sit oan the pan.

When ah open the book ah kin hardly breathe right. It's fu o durty pictures an thur's questions that folk huv asked wi aw the answers an diagrams on whit ye dae wi yer boabbie. Naw. Ah'm no dain aw that stuff. It's disgustin. Ah flick through mair pages an ah start tae feel dead weird. Ah feel shit scared an excitit at the same time. Ma legs ur like jelly. Then ah get tae the bit aboot organisms an ah slam the book shut. Naw, nae chance. Jeannie wid huv a hairy fit if ah tried that. Ah'll jist leave it fur noo an ah'll think aboot sex anither time.

Ah flush the lavvie an nip intae ma room tae hide the book. Under ma bed's the best place an ah'll pit in the bin ootside themorra. Ah huv tae sit oan ma bed fur a wee while till ma trooser lump goes doon a bit. Cannae risk Maw seein it.

When ah get intae the livin room Maw starts er questionin lark.

'Whit oan earth kept ye? Ye've been in there fur twenty minutes?'

'Ah've gote pains in ma belly Maw.'

'Right. Yer constipatit. Ah'll soon fix that.'

Oot comes the castor oil an ah'm near sick when she shoves the spoon doon ma throat. Ah'm gonnae be in an oot the lavvie aw night noo. Ah'm exhaustit dealin wi the stress o this an ah'm nae further forward wi the sex stuff. Mibbe, like the kissin bit, it'll come natural if it happens. It's the trooser lumps that worry me. Ah'm gettin thum aw the time lately. Somebody telt me once that if ye flick it, it shrinks. Nixt time it happens ah'm gonnae try it.

The nixt day, ah go wi Faither tae the plots. It's ees favourite place. If ees fed up he goes there fur some peace an quiet. Ee's gote green fingers. Last year ees cabbages won a prize at the veggie fete. They wur the size o fitbas. He wis dead chuffed.

It disnae take long tae get there. We walk along Rutherglen Road, past Greasy Peter's chip shop an Dirty Maggie's, where ye swap yer comics, then past the McNeil Street Library an up tae the Coronation Bar. Jist across the road at the plots it's heavin wi folk lookin efter thur wee bits o gairden.

Me an Faither work hard an efter we've eaten oor sannies we start clearin up an burnin rubbish. We're enjoyin oorsells. Every time the wind changes we huv tae jump oot the road o the smoke. It's a laugh. Then oot the corner o ma eye ah see ma maw.

She's careerin ower aw the veggie plots, tramplin the sprouts an tatties, swingin er message bag aboot an screamin at the tap o er voice. Ah dinnae twig at furst but ah kin see she's fumin aboot somethin.

'Robert James Muldoon! Jist you staund right there an dinnae move an inch! D'ye hear me?'

She's storms up tae me, er face purple wi rage. Then, withoot anither word she brings it oot er bag. The book wi the red cover.

Ma belly does a double somersault an lands at ma feet. She's been cleanin under ma bed. She hauds the book up an screams in ma face.

'Where the bloody hell did ye get this?'

Ah cannae speak.

'Answer me! Where did it come fae? How did this piece o filth get intae ma hoose?'

Faither tries tae calm er doon but as usual she disnae listen tae um. The allotment's busy wi folk diggin an noo thur aw leanin oan thur spades, huvin a guid gawk at the cairry on. Ah get aw panicky an ah start stutterin somethin aboot findin it lyin in the street an that ah hudnae even looked at it or read it or...

Maw rages oan fur ages an aw ah kin dae is staund there, speechless. Then she tosses the book intae the fire.

'That's where that belongs. Yer grounded! Dae ye hear me? Ah'm disgusted wi ye. Yer a dirty minded wee bugger!'

Then she scuds me oan the back o the heid an storms aff, mutterin tae ersell. Ma faither smiles at me an shakes ees heid.

'No the brightest thing ye've done son.'

The book's in flames noo but, cos thur's a wind, it disnae burn right an the pages start comin apart, flyin aw roond the allotment. Thur's porny pictures floatin everywhere. Whit an embarrassment. It'll be aw roond the neebors soon that ah'm a sex fiend. Nightmare. If Jeannie hears aboot it that'll be oor relationship doon the Swanee.

Ah help ma faither clear up an we start walkin tae the main road. We huv tae pass aw the auld codgers tae get tae the street an they dinnae miss a chance tae gloat. Sandy McIver is eighty-six an ees still plantin tatties. Ees wavin a big pile o the book pages at me an laughin ees heid aff.

'Hey Bobby! Thanks fur the book. This'll gie me somethin tae read in ma bed the night!'

Ah dinnae answer. Ah jist want tae get hame an hide in ma room.

Ah wis grounded fur a week an Maw didnae speak tae me. Jeannie came roond an Faither answered the door. Before he hud a chance tae speak Maw shouted through tae um.

'Whoever it is, tell thum ees no comin oot.'

Faither sent Jeannie away. Ah wis beside masell.

Ah wis kept in till the Friday. When ah gote oot ah went straight tae the school gates tae meet Jeannie. She wis dead happy tae see me.

'Ur ye feelin better Bobby? Ah've been worried sick aboot ye.'

'Aw, ah'm fine noo Jeannie. Ah wis in ma bed. Ah hud the chicken pox. Ah wis covered in big, red, leakin spots.'

Ah felt bad lyin but ah couldnae tell Jeannie ah wis grounded fur lookin at diddies an bums.

'Yer spots huv cleared up quick Bobby? When ah hud chickenpox mine wur there fur weeks efter.'

Ah chinged the subject an we went fur a walk in the woods. When we wur kissin ah didnae get a lump like a usually dae. Ah think that red book hus pit me aff. Ah jist hope that when the right time comes it'll come back. Withoot a lump ye cannae huv sex. That wid be a disaster.

Faither takes me aside an asks me how it's aw goin wi Jeannie. Ah dinnae mention ma trooser lumps but ah tell um ah'm dead happy an ees pleased fur me.

'Bobby, yer Maw is askin me if ye've gote a girlfriend? Ah think ye should tell er?'

Ah'd been thinkin aboot it fur a while so ah tell er ah'm wi Jeannie. Jist as ah thought she starts askin loads o questions aboot her, where she lives an who er faither is an whit age she is an that. Then she insists that Jeannie comes fur er tea wan night so she kin look er ower. Aw shit. Ah wish ah'd kept ma mooth shut. Tae keep Maw happy ah tell er that ah'll speak tae Jeannie an ask er but ah'm no daein it. Ah'd be mortified sittin eatin in front o er while Maw yaps er heid aff. Naw. No an option.

Maw's no depressed noo, but she's still mad at ma granny an whit she said aboot Harry no bein er faither. Thur's no a day goes by that she disnae huv a rant aboot it. Time tae work oan bit three o ma action plan. Ah tell Jeannie aw aboot it an she says she'll help me find Maw's real faither. She's gote mair brains than me so ah ask er whit she thinks ah should dae. She suggests we go an speak tae ma granny. Ah warn er that ma granny's mad but ah dinnae think she believes me. She says she kin help tae get er tae talk. Ah cannae see it workin but we huv tae try. Maw needs tae find oot the truth but she's no likely tae want tae see Granny so it's up tae me tae dae it fur er. Onyway, ah want tae find oot who ma real grandad is so we're goin tae Govanhill.

Oan the way in the bus Jeannie asks me loads o questions aboot the night it happened. The night ma granny telt Maw aboot Harry bein er kid oan faither. She seems tae think that Granny's gonnae admit it tae me. Ah'm no sure how it'll turn oot but it's guid huvin Jeannie wi me fur support. When we get tae er hoose Granny makes a big fuss o us. She gets aw er best china oot an piles a plate wi chocolate biscuits. Then she goes intae the kitchen tae make some tea. The livin room looks like a florist shop. Thur's flooers everywhere. Jeannie whispers tae me an points tae the sideboard.

'Whose deid Bobby?'

Thur's a big plastic bucket fu o lilies an it's gote a card stuck oan the side o it. It says *Words can't express how much we miss you. Rest in peace Da.*

Fuck. Granny's done it again an gote away wi it this time. When ah tell Jeannie thur aw nicked fae the cemetery she starts tae snigger. Ah'm no long behind er.

The tears ur pourin doon oor faces an ah huv tae pinch ma leg tae stoap masell losin it aw thegither. Granny comes back wi the tea an sits doon. Ah calm masell, take a deep breath an go fur it.

'Granny, ah've come tae talk tae ye aboot Maw. She's been awfi upset.'

Granny pours the tea oot an ignores me.

'Did ye hear whit ah said Granny? Maw's been ill.'

'Aye,' says Granny, stuffin two chocolate biscuits in er mooth at the same time, 'It's a bacteria. It's goin aboot . Ah hud it masell jist afore Christmas. A hot toddie. That's the best thing fur it.'

Jeannie looks at me an shrugs er shooders.

Granny starts workin er way through the plate o biscuits, wan efter the ither. Nae wunner she's fat. Ah try again tae get some sympathy fur Maw.

'Naw, it wisnae a bacteria Granny. She took a depression an hud tae get pit intae Woodilee?'

'Och, that's her jist wantin er dinners made fur er. Yer maw's ayeways been a drama queen. Even when she wis wee an she skint er knee she wid scream like er leg hud been chopped aff. Silly cow. Ah'm goin fur mair biscuits.'

She goes back intae the kitchen. This wis a bad idea, comin here. Granny's oan anither planet as usual. Ah'm aboot tae gie up when Jeannie steps in. She whispers tae me.

'Bobby, she's auld. If we try tae jog er memory back tae years ago mibbe she'll mention yer real grandad's name?' This lassie's a genius.

Granny comes back an sits doon, looks at Jeannie, an shoves the plate o biscuits across the table.

'Here you. Huv a few biscuits an pit a bit o fat oan that arse o yours. Yer far too skinny.'

Jeannie ignores the comment an, before ah kin say anither

word, she tells Granny that she's daein a project at the school aboot the war an would appreciate some stories fae somebody that lived through it. That seems tae spark somethin aff fur Granny. She starts talkin an disnae stoap fur breath. Jeannie's gettin er life story, fae the year she wis born, when she married Harry, the factory joab she hud makin shells fur bombs, rations, air raid shelters an gettin nylons fae the American sodgers. Ah cannae keep up cos she's jumpin aboot too much. Wan minute she's at 1946 an then she's back tae bein a teenager in 1918. Ah gie up at the end o World War Two but Jeannie seems tae be followin Granny nae problem. They get tae the bit when Granny hud er weans. Ma three aunties ur mentioned but no a word aboot Maw an nothin aboot er real faither. Ah'm gettin frustratit an ah start fidgetin but Jeannie gies me a look an keeps pushin. She's askin Granny how her an Harry managed tae bring up four teenage lassies wi a war goin oan. Ah kin see where she's headin wi it an ah'm dead impressed cos it's workin. Granny says it wis a hard life cos efter the war Harry wis workin away a lot layin cables fur the GPO an she hud tae rely oan ither folk in the faimily tae help er. That's when she mentions the name Billy. Jeannie looks at me an ah gie er a sign tae keep goin. She acts dead casual an pours Granny anither cup o tea.

'Wis Billy a relative then Granny?'

It works. Granny's face gets aw crumpled an thur's tears in er eyes.

'Naw, Billy wis Harry's pal... dead handsome when he wis young. He didnae work cos ees health wisnae too guid so he wid dae aw ma odd joabs aboot the hoose an... aye, he wis a guid man tae me, Billy Paterson.'

Ah look at Jeannie an she sits back in er chair, waitin fur me tae ask the million dollar question. Ah'm shakin.

'Granny, wis Billy Paterson Maw's real faither?'

Before she realises it, Granny lets it oot.

'Aye Bobby, he is...'

She stops deid an looks at me. Thur's panic aw ower er face. Then withoot anither word she gets up an starts clearin the table.

'Ye'll huv tae go noo. Ah need tae go oot fur milk.'

Thur's a full jug o milk oan the table but we both twig an get oor coats. Granny disappears intae the kitchen an we let oorsells oot . We gote whit we came fur so thur's nae point stayin.

At the bus stop Jeannie takes ma haund an squeezes it.

'Yer awfi quiet Bobby? Ur ye awright?'

'Ah'm thinkin Jeannie. Ah'm workin this oot.'

'It's good though Bobby, eh? Noo at least ye've gote a name?'

'Aye. Ah huv. Billy Paterson. Maw's faither an ma grandad... ees still alive Jeannie.'

'How dae ye think that then?'

'Well, think aboot it. Ah asked if Billy Paterson wis Maw's real faither an withoot thinkin she said *'He is.'* If he wis deid, she wid huv said *'He wis'*, past tense.'

Jeannie looks dead impressed.

'Bobby, that's clivver. You wid make a great detective. Whit will ye dae noo though?'

'Ah'm gonnae find um if it's the last thing ah dae.'

We get back an ah see Jeannie tae er door. Walkin hame, it hits me like a ton o bricks. Ah've gote a name noo so thur's a big decision tae make an thur's two choices. Tell Maw... or keep it a secret? Fuck. That's a load o shit tae cairry aboot wi me.

7 | Archie's Shindig

Ah keep ma secret an try no tae think aboot it. Things are guid the noo an ah dinnae want tae rock the boat. Ah'll huv a think anither time. Wan thing fur sure though… ma four bit action plan is gettin there. Maw is back tae er auld self, ah've gote masell a girlfriend an ah'm part way there wi Maw's faither. That's two an a hauf bits done so jist one an a hauf bits tae go, findin ma grandad an gettin a joab. Ah'll start lookin soon cos ah need tae start gettin a wage packet. Ah'm spendin aw ma pocket money takin Jeannie tae the pictures an buyin er wee presents an that. Oan Valentine's Day ah gote er a card wi a wee bear oan the front an a chocolate heart wrapped in shiny, red paper. She gave me a poem she wrote aboot me an ah pit it in a special wee box under ma bed. Jeannie is guid wi words. Every night ah read it afore ah fa' asleep.

To my boyfriend,
On Valentine's day ah want ye tae know

How much ah love ye, ah won't let ye go
It makes me dead happy tae know that ye care
An as long as ye want me, ah'll ayeways be there
That night at the dancin ye captured ma heart
And now we're together we never will part
All my love,
Jeannie xxxxx

Talkin aboot presents, it's ma sixteenth birthday oan the fifth o March an ah've bit the bullet an invitit Jeannie tae ma birthday tea. Ah'm jist hopin Maw disnae ruin it. Ah dinnae usually get excitit aboot birthdays cos Maw gies me the same things every year… pants, socks an a knitted jumper. Fur the past two birthdays ah've asked fur a Beatles LP but Maw says she's no wastin er money oan rubbish music that does er heid in.

She insists that stuff tae wear is mair practical. Trouble is, the birthday jumpers ur ayeways a disaster. They dinnae fit me. Last year's attempt wis the best yet. Wan o the sleeves wis six inches longer than the ither yin. Ah tried tae cut the extra bit aff but it unravelled its way right up tae ma shooder. A waste o wool if ye ask me but ah kept ma mooth shut an telt Maw ah'd loast it. This year ah dinnae care aboot the jumper. Ah'm jist lookin forward tae spendin ma birthday wi Jeannie.

The big day came an ah wis feelin sick. Ma belly wis churnin an ma haunds wur aw sweaty. We dinnae get visitors very often cos Maw ayeways says somethin tae offend thum. Thur no quick tae come back so ah wis prayin she would keep er mooth shut jist fur wan night. Ma faither invitit Archie though so ah'm hopin he'll gie us a laugh wi ees jokes.

Maw's twitterin didnae help ma nerves.

'Right you. Stay oot ma way cos ah'm gonnae be bakin aw day. Ah'm gonnae make Swiss roll an some treacle scones. Then ah'll dae wee apple tarts an pancakes wi jam an cream. Jeannie's gonnae be impressed. Ah might even wear ma Christmas frock. Want tae look ma best fur er.'

Maw fancies ersell as Fanny Craddock but she's rubbish at bakin so, by the time she'd finished, every plate looked like a dug's dinner. Wan thing she is good at is ma birthday clootie dumplin. When it's cookin ye get that spicy smell like at Christmas. She pits money in it wrapped in greaseproof paper. Last year she didnae huv sixpences so she yased pennies an faither got wan stuck in ees throat an nearly choked tae death. No the maist sensible move she's made.

By the time Jeannie an Archie arrived ah hud managed tae calm doon a bit. Well, at least ma legs wur no wobblin. We aw sat doon fur tea an oot came the presents. Maw's jumper didnae disappoint me. Even mair horrendous than last year. She said an Arran jumper wis the latest thing but she needed mair practice tae get the pattern right. Thur wur bits stickin oot everywhere an when ah tried it oan (Maw insistit) the collar wis that big it came right up tae ma ears an covered ma mooth. Whit an embarrassment. Ah looked like a bank robber.

Archie gied me a tin o toffees an a joke book. When ah opened Jeannie's present ah wis ower the moon. She gote me the The Beatles LP ah wis wantin. Maw said it wis a great record an she loved the Beatles music an we wid aw enjoy listenin tae it. Talk aboot two faced.

The night wis weird. Maw wis aw ower Jeannie like a rash. Fussin roond er an askin loads o questions an makin comments. 'That frock really suits ye Jeannie. It matches yer eyes. An yer shoes are smart tae. Thur's lots o nice stuff in the shops fur lassies the noo. Aw different colours an styles eh?'

Jeannie couldnae get a word in. She jist sat an smiled while Maw chirped like a budgie. Then it dawned oan me. Jeannie's a lassie an Maw ayeways wantit a lassie. When ah wis born she went intae a depression cos ah hud a willie. Noo she hus a lassie tae fuss ower. Jeannie didnae seem tae mind.

That wis the furst time fur ages ah've seen Maw really happy. She usually hus a face that looks like she's chewin a wasp but she wis smilin aw night. Archie an Faither gote the best whisky oot the sideboard an made it plain that they planned tae get legless. Maw ayeways gets oan at thum aboot thur drinkin but no the night. Even when the whisky wis arsed an they startit oan beers she wis too busy fussin ower Jeannie tae notice. Ah cannae believe how ah feel when ah'm wi Jeannie. Ah dinnae huv aw that shakin an sweatin like ah yased tae get. Ah dinnae panic aboot stuff either. Ah'm feelin dead calm aboot things. Jeannie's guid fur me an she's helpin me tae get some confidence an feel guid aboot masell.

Efter tea me an Jeannie went tae ma room. We wur lyin oan ma bed listenin tae ma new LP an a slow song came oan.

'I give you all my love, that's all I do... and if you saw my love...'

We startit kissin an ah suddenly hud this kinda warm, quiverin feelin doon below. Afore ah knew whit ah wis daein ah jumped oan tap o Jeannie. Ah remembered seein thum dae that oan the telly. That's when it aw went wrang.

Ah hudnae a clue whit tae dae nixt an ah gote frustratit an shouted 'Fuck' at the tap o ma voice, Jeannie screamed an ah fell aff the bed an ah hit ma heid oan the side o the wardrobe. Ah finished up wi a bleedin nose an a great big lump oan ma heid. Ah wis mortified but Jeannie thought it wis dead funny an in the end we baith fell aboot laughin. Then we went quiet fur a wee while, no speakin, jist haudin haunds.

'Bobby, ah hope yer no gonnae worry aboot whit jist happened. It's awright.'

Ah couldnae answer cos ah hud a big bloody hankie at ma nose. Jeannie snuggled up tae me.

'When wur baith ready it'll be fine, ah promise. Thur's nae rush.'

She's dead understaundin is Jeannie.

'An onyway Bobby, we cannae dae it withoot a *French Letter*.'

Ah wis already feelin like a failure so ah didnae ask er tae explain that yin. Wan thing… ah hud nae idea we needed written permission fae France tae huv sex in Glesga?

Apart fae me makin a right mess o the sex bit, it wis a really guid night. Maw's happy face, Jeannie's smile an Archie's jokes made it the best birthday tea ah've ever hud. Archie finished up pissed as usual. He could hardly staund up an wis slaverin the biggest load o shite ah've heard yet. Jeannie said she wid help um back tae ees flat in case he fell doon the stairs. She's dead kind, ma Jeannie. Ah think ah might ask er tae marry me. Nae point in waitin cos ah'll no want tae be wi onyb'dy else fur the rest o ma life. That's definite.

Maw did er usual drama queen bit an went tae er bed, sayin she felt too 'drained an exhausted' tae clear away the dishes. Faither couldnae bite ees finger nails an fell asleep in the chair huggin the empty whisky bottle. Same as last year. This year though, ah didnae mind gettin left tae clear up. Ah even polished the table an took the Ewbank roond the livin room. Bein in love makes ye feel like Superman.

It's the beginnin o April an ah'm mair in love wi Jeannie than ah wis at the start o March. Archie hus asked me an Faither tae go wi um tae order ees weddin suit at Burtons, the tailor in Argyle Street.

Ah huvnae a clue aboot clathes but ah'll go cos it might gie me an idea fur mine when ah marry Jeannie. Archie's in toon buyin the weddin ring an ees asked us tae meet um at Dissy corner. Ah've nae idea where that is so oan the bus Faither tells me how it gote its name.

'If ye met somebody at the dancin, ye arranged tae meet thum the nixt night oan the corner at Boots, the chemist. Ye wid wait fur ages an if yer date didnae turn up – that meant ye gote a *disappointment* or a *dissy*. Folk call it *dissy corner* cause o that.'

'Well, ah'm glad ah've gote a girlfriend faither. Nae dissy fur me, eh?'

Faither smiled an we finished the bus ride sharin a packet o sherbet lemons.

In the shop Archie gote dead flustered tryin tae pick a cloth fur ees suit. They call it *made tae measure* an that means it fits ye right cos the tailor makes it up fur ye. It takes three weeks so Archie hus tae go back tae collect it. Faither helped um pick an he gote a three piece suit fur jist a pound deposit. It came tae five pounds an he gote a shirt an tie fur a pound. He hus tae pay it aff at ten shillins a week so by the time the weddin comes at the end o the month it'll nearly aw be paid fur. Ah wis dead impressed wi that an ah'm gonnae start savin fur mine an pay fur the lot when ah order it. Maw said she didnae huv cash fur new clothes fur me so ah'm wearin the Beatle jaiket ah hud oan tae The Barraland when ah met Jeannie.

The Saturday o the weddin came an ah wis dead excitit. Cos Archie an Betty ur Catholics thur gettin married in the Saint Francis church in Cumberland Street. It's jist at the back o the highrise so it's no far tae walk. Ah've been lookin forward tae the bash fur ages an specially cos Jeannie hus an invite tae. Maw an Faither looked the bees knees... aw dolled up in thur Sunday best. When Jeannie stood at the door in er fancy weddin clothes ma eyes popped oot ma heid.

She looked like a film star in a mini frock an high heels. She didnae huv er glasses oan an er hair wis aw curly an bouncy roond er face. Ah couldnae take ma eyes aff er aw day.

In the church, Archie got aw the words mixed up an the priest wis losin it cos he hud tae keep startin an stoppin till they gote it right. Ah think Archie an Betty hud downed a few whiskies fur Dutch courage.

Efter the service Archie threw money oot the weddin car windae when they drove away. Nae wunner folk call it a *scramble*. Thur wis hoards o weans rollin aboot oan the grund fightin each other fur the coppers.

We walked fae the church tae the reception at the Saint Mungo Halls in Moffat Street. It wis done up nice inside an we hud broth an a steak an kidney pie dinner wi boiled tatties an veg. Efter the dinner, Archie made a speech an it hud everybody greetin. He wis slurrin ees words cos o the drink but he said a lot o nice things aboot Betty. She wis greetin like a wean. Ah think they'll be dead happy thegither.

Efter the waitresses cleared the tables Betty's band came in an the place wis buzzin. Jeannie an me danced aw night an even Faither wis up wi us daein *The Twist*. Archie couldnae dance cos he couldnae staund up. Folk kept buyin um drink an aw he could dae wis sit wi a stupit grin oan ees face while ees eyes rolled aboot tryin tae focus oan the dancers.

Maw wis moanin as usual, sayin the band wis too loud an the pastry hud gied er indigestion. Faither jist ignored er an when Betty gote up tae sing he jumped oan the stage beside er an startit a duet. Ah hudnae heard Faither singin afore but ees gote a guid voice an they hud the folk cheerin an clappin an shoutin fur mair. He wis lovin it but Maw's crabbit fizzog brought um back tae the table an he sat back doon wi misery guts tae keep the peace. She let rip.

'Ur you tryin tae embarrass me oan purpose? Whit a clown.'

'Och Ena, ah'm enjoyin ma night. Ah jist fancied a wee sing song.'

'Is that whit ye call it? Cat's choir mair like. Ah could dae better masell. Does she get paid fur that in the pub?'

'Aye. She fair draws the punters in oan a Saturday night.'

'The punters ur no listenin tae er voice. Thur too busy watchin er boobs bouncin up an doon. Whit's Archie thinkin aboot onyway. She's far too young fur um. It'll no last.'

At this Faither gies up an sits back in ees chair. Noo they baith look miserable.

Jeannie an me wur sittin watchin the band when a bruiser o a man burst in the room an shoved ees way intae the middle o the dancers, knockin thum aff thur feet. Ah've nivver seen an uglier brute. He wis aboot eight feet tall. The band stopped playin an aw the folk moved tae the side. Ye could hear a pin drop. He went straight over tae Archie.

'Ah've got a message fur ye. Fae McManus.'

Archie seemed tae recognise um an he stood up, smilin.

'Oh aye. Ah take it he wants tae say congratulations?'

'Very funny. He asked me tae gie ye this...'

The bruiser threw a punch, Archie ducked, an the stupit git fell tae the floor wi a thud. Whit an arsehole! Then aw hell broke loose. The bruiser tried anither punch an missed again. He should huv done ees hamework. Archie wis a champion boxer when he wis in the Navy. Course, when aw the men saw whit wis happenin, they waded in tae protect Archie. It wis like a scene fae a John Wayne movie. Airms an legs wur flyin everywhere.

Trouble wis, every wan o thum wis that pissed they couldnae see straight an they wur jist flingin thur fists aboot, punchin fresh air. Shaky Jake, the local alkie fancied a go but the bruiser punched um oan the jaw, sendin ees wallies flyin intae a dish o trifle. Then aw the wummen joined in, screechin an rollin aboot the flair wi thur skirts flyin up, showin thur big knickers. Mary McBride's nickname's *Hairy Mary*. She's a madwumman, well known fur fightin. She went runnin an heid butted the bruiser, he grabbed er by the hair but she's as bald as a coot underneath an er manky, grey wig finished up oan tap o the weddin cake. Ah looked aroond fur Maw an caught sight o er draggin Faither oot the door. Mibbe a good joab cos Faither's no very tall. He widnae huv stood a chance in amongst that lot.

The priest wis the only wan no fightin so he ran oot an phoned the polis. They came an dragged the ugly big bruiser oot tae thur van an cartit um away. The weddin hall looked like a bomb hud exploded. Archie jist stood there wi a smirk oan ees face. Nixt thing, aw ees pals lifted um up ontae thur shooders an carried um aroond the hall singin *For he's a jolly good fellow*.

The band startit up again an everybody wis dancin as if naethin hud happened. Ah couldnae dance though. Ah wis the only wan that knew whit the message wis aboot. It wis cos Archie dobbed McManus an ees wife in aboot the drug runnin stuff. Ma heart wis racin cos ah wis the reason Archie split oan thum. Jeannie tried tae get me up oan the flair but ah said ah wis feelin sick wi the beer ah drank an we went ootside fur some fresh air. Ah cannae tell Jeannie aboot the drugs stuff. She might no like it. That's somethin only me an Archie understaund. It's oor secret. Ah'm jist prayin the bruiser disnae come back fur me. Ah huvnae hud shaky legs fur ages but thur like jelly the night. Whit a shite end tae a great day.

8 | Happy Families

Ah didnae sleep well fur ages cos ah kept huvin nightmares aboot *The Bruiser*. It wis the same wan every night. He wid pick me up by the ankles, swing me aboot ees heid an toss me intae the River Clyde. Ah cannae swim an ah wis wakin up gaspin fur breath an screamin fur help. Ah startit sleepin underneath ma bed an, thank fuck, the nightmares went away. Whit a relief.

Then, jist as everythin wis gettin back tae normal, disaster struck. Granny Pat's doctor asked Maw an Faither tae go an see um. When they gote back Maw took a hairy fit.

'It's no happenin. Dae ye hear me? It's no bloody happenin.'

The doctor hus telt Maw that Granny's 'extremely unwell'. He said she's gote somethin wrang wi er brain an needs looked efter. Then he suggestit she came tae live wi us. Faither tried tae keep Maw calm. It didnae work. She wis like a ravin banshee.

'If he thinks ah'm huvin that auld bag in ma hoose he kin run up ma ribs. She's trouble an ah'm no goin back intae Woodilee cause o her. No bloody way! She kin go intae an auld folk's hame an cause trouble there.'

Faither tried tae reason wi er.

'Ena… we wid manage. She's no that bad. She's yer maw. Ye cannae turn yer back oan er?'

'Jist watch me. Ma life wid be a misery wi her aroond. If *she* comes then ah go. End o story.'

Faither tries again.

'Wid ye gie it a trial then… fur a month say… an then see how ye feel?'

That didnae go doon well.

'Ur you listenin tae me? Ah said she's no comin here an that's ma final word oan it.

Noo, set the table fur the tea an dinnae mention it again or ah'll really loss the heid!'

Granny Pat arrived wi er suitcase the nixt day. Ah'm no sure whit Faither said tae Maw but thur's tae be a trial an if it disnae work, Granny gets the boot. We've only gote two bedrooms so ah've tae sleep oan a mattress oan the livin room flair. Whit worries me maist is that Jeannie an me huvnae gote ony place tae winch noo. Mibbe she'll ask me tae her hoose an that wid solve it.

Maw, Faither an me spent the first week watchin Granny tae see whit the doctor meant by 'unwell'. We couldnae see onythin. Granny wis jist as much o a trouble maker as she's ayeways been. Arguin an complainin fae mornin tae night. Everythin Maw said, Granny argued the opposite. Everythin Maw cooked, Granny complained aboot it. Like yisterday. Maw hud made a beef stew an Granny said it wisnae cooked right. Ah huv tae say that the meat *wis* tough an the gravy wis like treacle so it wis right up Granny's street. Plenty tae complain aboot. Aff she went.

'Whit huv ye pit in this pile o shite Ena?'

Maw's face wis like thunder.

'If yer no happy then leave it. Naebody's forcin ye tae eat it.'

Granny is really guid at turnin the dinner table intae a war zone. She does it oan purpose. Jist afore she starts complainin, she smirks an shoves er shooders back.

'The doctor said ye wur tae look efter me. Ah wunder whit he wid say if he knew yer feedin me a load o crap. He widnae be pleased let me tell ye. Fur aw ye know ah could huv a brain tumour. Watch yer step or ah'll be reportin ye.'

Wur only oan the first week an if Granny disnae shut er trap thur's no gonnae be a second wan. Maw bites back.

'Oan ye go. An while yer there tell um tae book ye a bed in the auld folk's hame cos wi they kind o comments yer no gonnae be here long. Thur's no a thing wrang wi ma cookin so ye kin stoap complainin. An thur's no a thing wrang wi you so ye kin stoap kiddin oan that yer ill. Yer a crabbit-faced, wicked auld bugger.'

Noo Granny starts tryin tae get Faither in oan the act. Ee's been bitin ees tongue fur a week. She's guid at crocodile tears an kin make er voice shake so she turns tae um wi a pathetic look oan er face.

'Alec… Ye need tae huv a word wi *her*. She shouldnae be swearin at an auld, ill wumman. She's really upsettin me.'

Faither tried tae calm things doon. Ees no very guid at it.

'Will ah make a wee pot o tea an we kin aw sit oot oan the verandah? It's a nice night?'

'Bollocks' says Granny. 'The wind wid freeze ye tae death. Ah… right… ah see… mibbe that's whit yer hopin fur eh? Aye. That the wind gies me a chill an it turns intae pneumonia an ah snuff it.'

Bein patient is hard wi this auld bag. Maw sighs an it comes fae er boots.

'Whit ur ye haverin aboot noo. Fur God's sake shut yer trap an gie us peace.'

We aw sit in silence. It's really guid tae hear nuthin but the clock tickin.

Disnae last long. Aff she goes again. Granny motormooth.

'By the way, ye kin get me anither eiderdoon fur ma bed. The fancy pattern oan that wan is makin me skelly eyed.'

Ah cannae believe ma ears. Did she really jist say that?

That night pit the tin lid oan the Granny stuff. At hauf three we heard bangin an clatterin comin fae the kitchen. Faither an me gote up an there she wis, wi a big spoon, workin er way through Maw's cake she made fur the church jumble sale. It wis aw ower the table, er falsers wur lyin in amongst it an er mooth wis covered in chocolate vermijelly. She looked like a wee wean.

Granny's coat's oan a shaky nail as it is so when Maw sees er hauf eaten cake thur's gonnae be ructions. Ah decide tae get up early in the mornin an dae a disappearin act afore the shit hits the fan.

Ah wis right. Thur wis a mighty row. Then it aw went dead quiet. Fur some reason Granny stoapped gripin an moanin an spent the nixt three days in er bed.

Maw wis glad o the peace at furst then when Friday came she wis lookin worried. Ah heard er talkin tae Faither in the kitchen.

'Dae ye think she really is ill Alec? She husnae spoke fur days. Ah thought she wis in the huff at first but ah'm no sae sure noo. Dae ye think we should get the doctor?'

'Mibbe be a guid idea Ena. It's no like er tae be sae quiet.'

'Right. If she's no speakin by Monday we'll get um in.'

Nae hurry then Maw… she could be deid by Monday.

That night, Faither went intae the room wi a cup o tea fur er an nixt thing, he wis shoutin at the tap o ees lungs.

'Ena! Come quick! Thur's somethin wrang wi yer Mammy! Come quick!'

When we went in Granny wis jist lyin there starin up at the ceilin. We gathered roond the bed. Naebody moved. Then Maw shrieked an startit shakin Granny like a rag doll.

'Mammy! Talk tae me! Mammy! Ur ye awright? Say somethin!'

Granny didnae move. She jist lay there like a wet rag, still starin up at the ceilin. Maw wis greetin noo, tears pourin doon er face.

'Oh my God! She's deid! She's snuffed it!'

'Stay calm Ena.' Faither wis dead pale an ees haunds wur shakin like a leaf.

'We need tae call a doctor… or an ambulance… or an undertaker…'

Then, withoot any warnin, Granny sat bolt upright in the bed an laughed… right in oor faces.

'Jist testin ye. Jist seein how ye wid react if ah really did pop ma clogs.'

Noo, ah've seen ma maw lose it wi Granny afore but this wis the best yet. She wis oan tap o the bed, ravin an swearin, fists flyin. Faither an me hud tae haud er back. It's the nearest thing tae a murder ah've seen.

Fur the nixt while Maw didnae speak tae Granny an Faither an me hud tae look efter er. Ye could've cut the air wi a knife an we wur aw miserable. A few weeks later, Granny startit huvin pains. Nixt thing we knew she wis deid. Really deid this time.

They said it wis a heart attack. She wis only sixty-nine but they said she wis cairryin too much weight an eatin too many biscuits. That gave er diabetics an it aw pit a strain oan er. Er heart couldnae cope.

Ah've ayeways thought ma Granny wis a pain in the neck but ah couldnae help feelin sad that she wis gone. Maw didnae greet. Think Granny's fake death scunnered er. She jist went quiet an Faither did maist o the stuff aroond the hoose. Ah think he wis scared Maw would get sad disease again but it didnae happen. She sorted the insurance an the will an stuff. Then she organised the funeral. Granny wis tae be buried in the graveyard nixt tae the chapel. She widnae be pleased wi that cos ah mind er once talkin tae me aboot er funeral an whit she wantit. It wis weird.

'When ah pop ma clogs Bobby... '

Ah tried tae chinge the subject but she widnae huv it.

'Ah want a Viking funeral.'

'A Viking funeral? Whit's that?'

'It's where they lie ye oan an auld wood door, set fire tae it an float ye doon the River Clyde. Then aw the mourners walk along the bank wi flamin torches singin *We Shall Overcome.*'

That wis the point ah decidit ma granny wis definitely aff er heid.

'Would that no be illegal Granny?'

'Aye, but once that match wis lit it wid be too late tae dae onythin aboot it.'

Typical. Nae consideration fur Maw gettin banged up fur burnin er mother tae a cinder.

Granny wis laid oot in ma bedroom the night afore the funeral. Ah heard Maw an Faither huvin an argument aboot it.

'Ena, ur we layin Granny oot in the chapel fur the night?'

Aw Maw wis layin doon wis the law.

'Nae chance. Ah'm no prepared tae gie a donation tae the preist fur that when thur's a perfectly guid bedroom here. An onyway, naebody wid go an see er. She fell oot wi aw er pals years ago.'

Faither tries again.

'But that's oor Bobby's room Ena. It's no very nice fur um tae huv Granny lyin deid in ees bed.'

'Dinnae talk rubbish Alec. Ah'll chinge the sheets afore he sleeps in it.'

Decision made.

Ah wis terrified. A deid body in the hoose aw night. Ah nivver slept a wink. Ah pit the armchair up against the livin room door, then ah pushed ma mattress against it an sat up aw night wi the lights blarin. Ah wis glad when it wis mornin an they came fur the coffin.

The funeral wis awfi sad. Thur wis jist us, Archie, the three sisters an Granny's neebor Alice an er man. The three fatties wur ower the top, wailin an greetin that loud the preist hud tae tell thum tae shut it. Maw wis fumin at thum cos they hudnae spoke tae Granny fur years. They aw hud a big argument aboot Granny's win oan the fitba coupon. The coupon man came tae aw the hooses every week an folk called um *Uncle Bob*. He wis part o the furniture. Wan week Granny wis ill in er bed so she telt the sisters er scores an they pit the crosses in the boxes an gave the coupon tae Bob. The scores came up an she won twinty five pounds. Then the three o thum tried tae claim a share o the winnins. She telt thum tae fuck off an 'nivver darken er door again'.

They still came tae oor hoose every week fur the knittin meetins an Maw wis happy wi that but, efter the funeral, world war three broke oot. An argument startit aboot Granny's things an who wis tae get er weddin china an the wally dugs an the grandfather clock in er hall. Then, when Maw telt thum that Granny hud left aw er money tae the cat shelter, they went nuts. It nearly came tae blows an Maw finished up orderin thum oot. We huvnae seen thum since. Aw ma faimily dae is argue an chuck each ither oot thur hooses. Soon ah'll huv naebody left. Nae granny, nae grandad, nae aunties. Ah'm awfi glad ah've gote Jeannie.

Archie helped Faither clear oot Granny's hoose. Maw couldnae face it so Jeannie an me helped tae pack the stuff fur the charity shop. Faither suggestit the neebor, Alice, wid mibbe like Granny's big, manky fur coat so Jeannie an me took it in tae er. Ah let Jeannie cairry it. Ah couldnae touch it. Ah've ayeways hud a thing aboot that deid animal. When ah wis wee ah hud nightmares aboot it. It grew legs an wis chasin me roond the hoose. Alice is welcome tae it.

When we went in wi the coat Alice insistit that we hud a cup o tea. She talked aboot Granny an aw the guid times they hud livin nixt door tae each ither. She's a nice wumman an she wis enjoyin yappin aboot the auld days. While we wur talkin, ah telt er ah wis lookin fur a joab.

'Whit kind o thing ur ye lookin fur Bobby?'

'Ah'll take ony joab ah kin find as long as it gies me some pocket money. Ah startit bein a plumber but that didnae work oot.'

'Wid ye like me tae talk tae ma man fur ye? We've gote the paper shop in The Cumberland arcade an ees lookin fur someb'dy tae help um. Ah think ye'd be guid wi the customers?'

Ah wis excitit. 'Yer man might recognise me. Ah get ma faither's *Sunday Post* in yer shop every week. That wid be guid if ye kin ask um fur me. Ah wid work hard?'

'Ah bet ye wid Bobby. Ah'll ask um. Ees no been well fur a long time so an extra pair o haunds wid be guid.'

We thanked er an gote up tae leave. She said we should come back the nixt night an see er man.

At the front door Jeannie thanked er again.

'Thanks fur the tea Mrs…?'

'Paterson. Alice Paterson. Oh look… here's ma man comin noo… if ye hang oan we kin ask um aboot the joab?'

Ah recognised um right away.

'Billy… this is Pat's grandson, Bobby. Ena's laddie.'

Billy Paterson. Fuck. Ah wis frozen tae the spot. Jeannie took ma haund an squeezed it tight. Billy Paterson… wis this ma grandad? Wis Maw's real faither staundin right in front o me? Ees face geid um away. It wis him awright. Ees been livin nixt door tae ma granny aw this time an we nivver knew. Ah could-nae decide which wan o us wis the maist shocked. Everythin seemed tae be goin in slow motion. Alice looked confused cos Billy wis rooted tae the step. She didnae huv a clue whit wis goin oan.

'Ur you awright Billy? Yer awfi pale?'

'Aye, ah'm awright Alice. The shop wis busy. Ah'm jist tired.'

Alice guided um intae the hoose an ah staggered doon the path. Ma jelly legs wid hardly haud me up.

Alice shouted efter us.

'Bobby! … ah'll speak tae Billy when ees feelin better. Come back aboot the joab, eh?'

Ah couldnae speak so Jeannie did it fur me.

'We will. Thanks again Mrs Paterson.'

Oan the bus ah could hardly speak. Ma tongue hud stuck tae the roof o ma mooth.

'Bobby, whit ur ye gonnae dae noo? … ur ye gonnae tell yer Maw?'

'Naw. Ah cannae tell er Jeannie.'

'But she might be glad tae know ees livin close an she might want tae get tae know um?'

Noo Jeannie hus loads mair brain cells than me but she's jist no gettin this.

'Whit am ah gonnae say like? Dae ah jist blurt it oot that er faither's been livin roond the corner aw this time? Ah dinnae think so. Ah kin tell ye exactly whit wid happen if ah did tell er Jeannie. Ah wid say 'Maw, we've found yer real faither. Ees been livin nixt door tae Granny fur years an ees gote the shop in the arcade where ye buy yer mint humbugs.' Then it wid aw kick aff. Ah wid get a clip roond the ear an accused o bein an interferin wee shite.

Maw wid storm roond tae Alice's hoose, batter the door doon an scream blue murder at Billy fur bein a 'dirty bastard'. Then Alice wid be fumin an she wid punch lumps oot um an chuck um oot intae the street. That's whit ah think wid happen an that's why ah'm no gonnae tell er.'

Jeannie gote the picture an we didnae talk aboot it again. Ma mind wis made up. Better tae let it lie. Nae point in draggin up the past.

The nixt day ah chinged ma mind. Ah wid tell ma maw. Ah didnae exactly blurt it oot but ah startit the ball rollin. We wur sittin in the livin room efter tea. Faither wis at the allotment so ah went fur it.

'Maw, kin ah ask ye a question?'

'Make it quick. Ah'm readin.'

'Dae ye ever think aboot Harry.'

Ah should've known she wid see where ah wis headin.

'Dinnae start aw that Bobby.'

'But Maw... ur ye no even a wee bit curious aboot yer real faither?'

'Whit part o 'dinnae start' did ye no understaund. Shut it.'

When ah think back ma maw's ayeways been nosey. Aye talkin aboot folks business an gossipin wi the neebors so ah try a different trick.

'Ok Maw. Ah'll no mention it again.'

Ah sit an watch er daein er crossword an she keeps lookin at me oot the corner o er eye. Ah'm sittin dead quiet readin ma *Oor Wullie* book but ah kin see she's curious. It's workin. She gies in.

'Six across. Eight letters. The name o an animal that lives in Africa?'

'That's easy. An elephant.'

'That's jist seven letters. E... l... e... f... a... n... t.'

'Maw... it's no an *f* in the middle. It's *ph*. E... l... e... p... h... a... n... t.'

'Smart arse.'

Thur's anither long silence but ah kin see she's champin at the bit tae talk. Here we go.

'Whit did ye ask aboot Harry fur onyway?'

'Ah wis gonnae ask ye if ye want tae know who yer *real* faither is?'

'And...?'

Ah hud tae pluck up courage an go fur it.

'Jeannie an me went tae see Granny an...'

'And...?'

Ah'm shakin noo. Maw's movin er chair closer an starin right through me. Ah'm gonnae be sick.

'She telt us ees name...'

'And...?'

Ah cannae get the words tae come oot. Ah try but ah cannae dae it. Ah cannae say ees name. Then Maw starts smirkin. Whit the fuck..?

'Whit ur ye like Bobby Muldoon. Yer sittin there thinkin yer aboot tae shock me wi a big announcement. Well... ah know ye've been diggin an pokin yer nose in an ye kin gie it up. Yer granny telt me ma faither's name. Jist afore she passed. She telt me aw aboot it an Billy Paterson an me made oor peace weeks ago. As far as wur baith concerned Harry wis ma faither. That's it. He brought me up an Billy is awright wi that. Get somethin straight though, Bobby. Wur no aboot tae start playin happy faimlies. An anither thing… Alice an Billy Paterson ur happy an wur no aboot tae rock that boat either so ye kin stoap actin like Sherlock Holmes. Right?'

'Right Maw.'

'Guid… an dinnae you go playin the *long lost grandson* bit. Leave things be. Right?'

'Right.'

'Keep yer mooth shut. Say wan word ootside aboot this an ye'll huv me tae answer tae, dae ye hear me?'

'Aye. Ah hear ye Maw.'

'Fine. Noo, shut it an let me finish ma crossword.'

We sit in silence an ah try tae get it straight in ma heid. Efter days an nights o worryin she knew aw the time aboot Billy. Ah watch Maw's face an ah'm sure she's smirkin.

'Aw… look at this… ma last clue… ye should get this wan Bobby… *a person that interferes in other folks business.* Ah wid say that's… *a nosy parker.* Whit d'ye think?'

'Right Maw… ah get the message.'

We nivver saw Alice an Billy Paterson again. They sold thur shop an we heard that Alice took a stroke an wis in a wheelchair. The new geezer in the shop is a right laugh an ah gote a paper roond fur a bit o pocket money. Thing is… ah'm no wantin tae spend ma life daein that so ah need tae get a proper joab. Ah'm workin oan a plan.

Jeannie's left the school. She chinged er mind aboot bein a teacher. She wants tae be a nurse noo, helpin the auld folk. She's too young yet tae dae er proper trainin so she's tae go tae a college first. Logan an Johnson Nursin College oan Glesga Green. She's lookin forward tae it an when she finishes that she kin work in a hospital. Ah'll huv a wage by then tae an we kin get married. It'll be a few years yet but we kin wait. We jist huv tae make a plan. Ah like plans. They gie ye somethin tae work fur. Ma four bit yin turned oot well. Maw's well, ah've gote Jeannie an we found Billy. Jist a joab tae find noo an that's it done. Time tae move oan tae the nixt wan... Bobby an Jeannie's life plan. Find joabs, get married, rent a hoose an huv three weans. That'll be dead easy.

Ah cannae wait tae get startit.